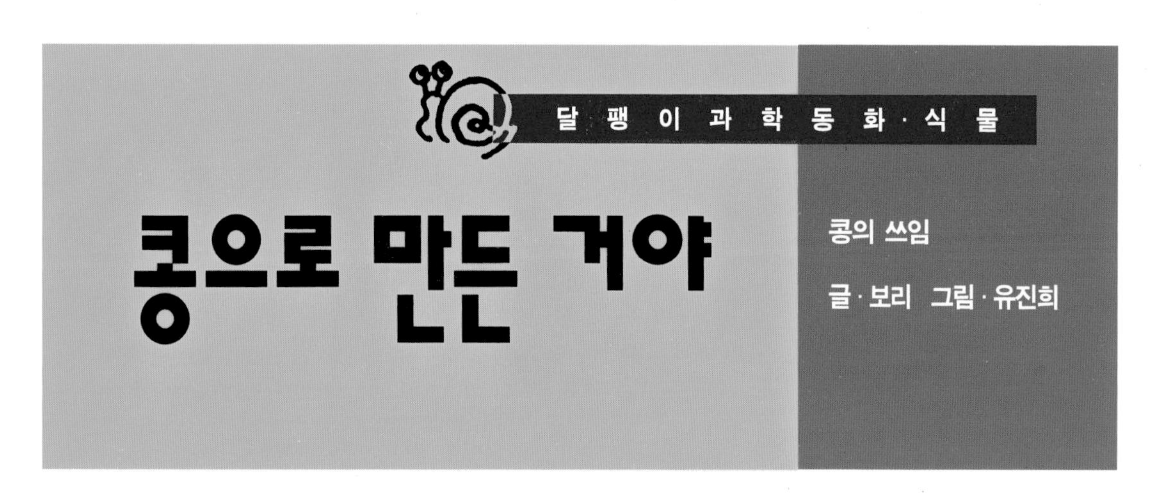

달팽이과학동화·식물

콩으로 만든 거야

콩의 쓰임

글·보리 그림·유진희

웅진출판주식회사

구름 위에 콩도깨비들이 모여 살았어요.

콩도깨비들은 콩을 무척 좋아했어요.

콩도깨비들은 해마다 콩을 가꾸었어요.

노란 메주콩도 심고,

파란 완두콩도 심고,

빨간 강낭콩도 심었어요.

콩들은 무럭무럭 자랐어요.

가을이 왔어요.
콩들이 노랗게 익었어요.
"얼씨구 절씨구, 얼씨구 절씨구.
콩들이 주렁주렁, 풍년이 들었네."
콩도깨비들은 춤을 덩실덩실 추면서 타작을 했어요.
'윙, 타닥. 윙, 타닥.'
도리깨를 내리칠 때마다 콩알들이 쏟아져 나왔어요.
콩도깨비들은 커다란 가마니에 콩을 쓸어 담았어요.

아주아주 커다란 가마니가 하나 가득 찼어요.

"영치기 영차, 영치기 영차."

콩도깨비들은 커다란 가마니를 들고 집으로 갔어요.

마을 어귀에 다다랐을 때였어요.

'툭, 투둑.'

가마니가 터지기 시작했어요.

'콩콩콩콩, 콩콩콩콩.'

콩들이 가마니에서 쏟아져 나왔어요.

"아이쿠, 이를 어쩌나!"

콩도깨비들은 놀라서 어쩔 줄 몰랐어요.

콩들은 구름 밑으로 떨어져 내렸어요.

'콩다닥 콩콩, 콩다닥 콩콩.'

콩은 동물 마을로 떨어졌어요.

"야, 콩알비가 내린다."

동물들은 모두 눈이 휘둥그래졌어요.

"하느님이 먹을 것을 내려 주시나 봐."

고슴도치가 말했어요.

"우리 고맙다고 제사를 지내자."

두더지가 말했어요.

"그래, 그게 좋겠다."

동물들은 콩으로 제사 음식을 만들기로 했어요.

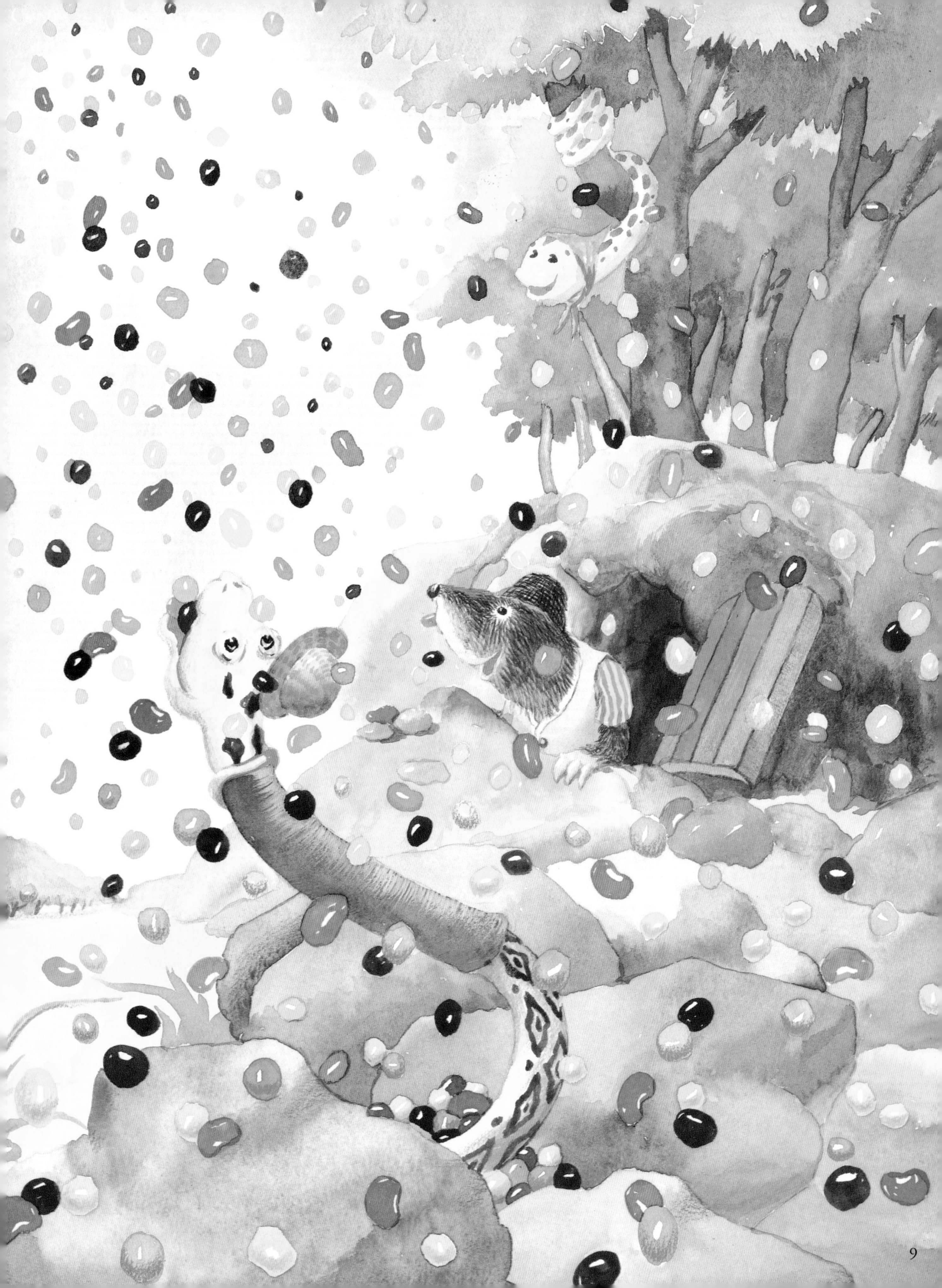

두더지는 콩을 시루에 담았어요.
그리고 물을 한 바가지 가득 주었어요.
콩에서는 하얀 싹이 났어요.
싹은 길게 자라났어요.
시루에는 콩나물이 소복이 자라났어요.

"나는 두부를 만들어야지."

뱀이 콩을 맷돌에 갈면서 말했어요.

"드르럭, 드르럭.

노랗고 단단한 콩알을 갈아서

드르럭, 드르럭.

하얗고 고소한 두부를 만들자."

뱀은 노래를 부르면서 맷돌을 갈았어요.

"뭐니뭐니해도 장 맛이 좋아야 해."

고슴도치는 삶은 콩을 절구에 빻기 시작했어요.

"쿵더쿵, 쿵더쿵.

콩알을 찧어서

주물럭, 주물럭.

메주를 만들자."

고슴도치는 노래를 부르면서 절구질을 했어요.

동물들은 제사상을 차렸어요.

콩으로 만든 음식들이 상에 가득 찼어요.

"이건 콩기름이야."

뒤늦게 온 생쥐가 기름병을 내밀었어요.

"잠깐만 기다려, 이것도 콩으로 만든 거야."

다람쥐가 커다란 광주리를 이고 오면서 소리쳤어요.

"그건 뭐니?"

동물들이 눈을 동그랗게 뜨고 물었어요.

"응, 콩으로 만든 강정이야."

다람쥐가 으스대면서 말했어요.

"맛있는 콩을 주셔서 고맙습니다."

동물들은 모두 절을 했어요.

그 때 하늘에서 콩도깨비들이 내려왔어요.

'우르르.' '콰당.'

"아이쿠."

콩도깨비들은 엉덩방아를 찧으면서 내려앉았어요.

동물들은 깜짝 놀랐어요.

"애들아, 우리 콩을 못 봤니?"

파란콩도깨비가 말했어요.

"하늘에서 떨어진 콩 말이야?"

생쥐가 말했어요.

"응, 그 콩들 어디다 두었어?"

빨간콩도깨비가 물었어요.

"여기 있잖아."

다람쥐가 제사상을 가리켰어요.

"에게? 이건 콩이 아니잖아."

검정콩도깨비가 입을 비쭉거렸어요.

"이건 모두 콩으로 만든 거야."

고슴도치가 말했어요.

"아유, 배고파."

콩도깨비 뱃속에서 꼬르륵 소리가 났어요.

"그럼 이걸 같이 먹자."

뱀이 말했어요.

"야, 참 맛있다."

콩도깨비들은 음식을 먹기 시작했어요.

"냠냠, 쩝쩝."

동물들과 콩도깨비들은 음식을 사이좋게 나눠 먹었어요.

"이렇게 맛있는 건 처음 먹어 본다."

콩도깨비들이 배를 두드리면서 말했어요.

이듬해 가을이 왔어요.
콩도깨비들이 콩 타작을 했어요.
커다란 가마니에 콩이 가득 찼어요.
"얘들아, 동물 마을로 콩을 내려보내자."
파란콩도깨비가 말했어요.
"그래, 그러면 동물들이 맛있는 음식을 해 줄 거야."
다른 콩도깨비들이 고개를 끄덕였어요.
콩도깨비들은 콩을 구름 아래로 뿌렸어요.
'콩콩콩콩, 콩콩콩콩.'
콩들이 땅에 떨어지기 시작했어요.
'콩다닥 콩콩, 콩다닥 콩콩.'

콩으로 무엇을 만들까요?

콩으로 어떻게 콩나물을 기를까요?

콩나물은 메주콩을 길러서 싹을 낸 것이지요. 지금은 공장에서 많이 기르지만, 옛날에는 집집이 길러서 먹었답니다. 바닥에 구멍이 뚫린 시루에 베 보자기나 짚을 깔고 미리 불린 콩을 담아 둬요. 그리고 물을 주어서 기르면 곧 하얀 싹이 돋아나지요. 콩나물이 잘 자라라고 재를 뿌려 주기도 해요. 그런데 콩나물은 햇빛을 보면 푸른 잎이 돋아나서 못 먹게 된답니다. 그래서 검은 보자기를 씌워서 어둡고 서늘한 곳에 두지요. 며칠이 지나면 맛있는 콩나물이 시루에 가득 차요. 콩나물에는 비타민이 많아서 야채가 흔치 않은 겨울에 즐겨 먹었답니다.

콩으로 어떻게 두부를 만들어 먹을까요?

두부를 만들려면 우선 물에 불린 메주콩을 맷돌에 갈아서 펄펄 끓여요. 찌꺼기는 걸러 내고 진한 국물만 따로 받아요. 콩국물에 소금물을 넣으면 콩물이 엉겨서 물렁물렁한 덩어리가 돼요. 이것을 순두부라고 하지요. 순두부를 단단하게 굳히면 두부가 돼요. 두부는 말랑말랑해서 먹기도 좋고 소화도 잘 되지요. 걸러낸 찌꺼기는 비지라고 하는데, 찌개를 끓여 먹기도 한답니다. 두부는 콩나물과 달리 만드는 데 공이 많이 들어요. 또 오래 두고 먹지도 못해서 아무 때나 먹을 수 있는 음식은 아니었지요. 요즘에는 시장에 가서 아무 때나 두부를 사 먹을 수 있지만, 옛날에는 명절이나 잔칫날이 되어야 식구들이 힘을 모아서 만들어 먹었어요.

강낭콩은 밥에 얹어서 먹거나 떡에 넣어 먹어요. 어린 꼬투리는 통째로도 먹어요.

팥으로는 시루떡을 만들어 먹어요. 동짓날에는 팥죽을 쑤어서 나눠 먹지요.

콩으로 어떻게 장을 담글까요?

콩으로 만든 것 가운데에서 빼놓을 수 없는 것이 메주랍니다. 가을에 거두어들인 햇콩을 무르게 삶아서 절구에 찧은 다음, 네모나게 빚거나 동그랗게 빚어요. 이것을 겨우내 띄우면 곰팡이가 생기면서 고리타분한 냄새가 나지요. 이듬해 봄에 메주로 간장이나 된장을 담그면 일 년 내내 두고 먹을 수 있어요. 잘 담근 된장이나 간장은 아무리 오래 두어도 썩지 않아요. 오히려 맛이 좋아지지요. 메주가 뜰 때 생긴 곰팡이가 장을 안 썩게 하니까요. 이 곰팡이는 우리 몸에도 무척 이롭다고 해요. 또 콩에는 우리 몸에 좋은 식물성 단백질이 많으니까, 간장이나 된장은 여러 모로 좋은 음식이지요.

메주콩은 가장 쓰임새가 많아요. 메주도 빚고 콩나물이나 두부도 만들어요.

콩으로 또 어떤 것을 만들까요?

콩으로는 군것질거리도 많이 만들어요. 볶은 콩을 입 안에 한 줌씩 털어 넣고 오도독오도독 씹어 보세요. 고소하지요. 볶은 콩을 조청에 버무리면 맛있는 콩강정이 돼요. 또 볶은 콩을 갈아서 인절미나 엿에 묻혀 먹기도 한답니다. 콩으로는 기름을 짜기도 해요. 콩은 깨나 들깨처럼 기름이 많답니다. 콩기름은 맛이 수수하고, 냄새도 없어서 사람들이 가장 많이 먹는 기름이지요. 집에서는 콩기름으로 튀김이나 부침을 많이 만들어 먹지요. 공장에서는 물감이나 비누나 인조고무를 만드는 데에도 쓴답니다. 콩기름으로 이런 물건을 만들 수 있다니 무척 놀라운 일이지요?.

땅콩은 볶아서 먹어요. 땅콩 버터를 만들기도 하고 기름을 짜기도 하지요.

완두콩은 밥에 얹어서 먹거나 떡이나 과자를 만들 때 고물을 만들기도 해요.

녹두로는 빈대떡이나 청포묵을 만들어요. 싹을 내면 숙주나물이 되지요.

그린이 · 유진희

유진희 님은 1965년 전주에서 태어났습니다.
홍익대학교에서 서양화를 전공했습니다.
그 동안 '크리스마스 명작집',
'크리스마스의 추억' 등을 그렸습니다.

글쓴이 · 보리

보리는 좋은 책을 만들려는 사람들이
모여서 이룬 공동체입니다.
보리는 아이들을 위한 책이나
교육에 관련된 책들을 기획하고, 편집합니다.
그 동안 지은 책으로는
웅진출판주식회사에서 펴낸
올챙이 그림책 60권이 있습니다.

달팽이 과학동화 27 콩으로 만든 거야

펴낸이 · 백석기/펴낸데 · 웅진출판주식회사 서울특별시 종로구 인의동 112-1/편집국 편집개발부 · 762-9358,766-6563/출판등록 · 1980.3.29 제 1-352/분해제판 · (주)그래픽아트/박은곳 · (주)한국문원/ 박은날 · 1996년 11월 9일 초판 14쇄/펴낸날 · 1996년 11월 20일 초판 14쇄 /편집기획 · 윤구병/글 · 보리/그림 · 유진희/사실화 · 김종도/편집책임 · 차광주/편집 · 강순옥, 김마리, 김용란, 심조원, 유문숙, 이춘환/미술 · 이효재, 끄레디자인서비시스/값5,000원

ISBN 89-01-00949-8
ISBN 89-01-00922-6(세트)